AROMATHÉRAPIE

PETIT GUIDE DU BIEN-ÊTRE

AROMATHÉRAPIE

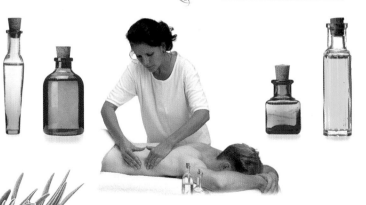

SHEILA LAVERY

KÖNEMANN

NOTE DE L'ÉDITEUR

Les informations contenues dans ce livre
ne sauraient remplacer un avis autorisé.
Avant toute automédication consultez
un praticien ou un thérapeute qualifié.

Titre original : *In a Nutshell Aromatherapy*

© 1999 pour l'édition française
Könemann Verlagsgesellschaft mbH
Bonner Str. 126, D-50968 Cologne

Traduction : Dominique de Saint-Ours
pour **mot.**
Révision : Emmanuelle Pingault
Réalisation : **mot.** , Paris
Chef de fabrication : Detlev Schaper
Impression et reliure : Sing Cheong Printing
Co. Ltd., Hong Kong

Imprimé en Chine

Crédits photographiques :

A-Z Botanical Collection Ltd, p. 22hd, 34hg,
38hd, 42hg, 44hg, 50hg ; Bridgeman Art
Library, p. 8hg, 8/9 ; e.t. archive, p. 9h ;
Hary Smith Collection, p. 30hg, 32hd, 40hg,
46hg, 48hg ; Image Bank, p. 11bd, 52b.

Remerciements particuliers à :

Tom Aitken, Cheryl Butler, Carly Evans,
Julia Holden, Simon Holden,
Stephen Sparhatt pour leur concours
photographique.

Ken Gross. The Plinth Company Ltd,
Stowmarket, Suffolk pour le prêt
des objets illustrés.

ISBN : 3-8290-2071-6
10 9 8 7 6 5 4 3 2

Sommaire

Qu'est-ce que l'aromathérapie ?

L'AROMATHÉRAPIE *désigne une branche particulière de la médecine par les plantes. Ce terme est composé de deux mots : « aroma », qui veut dire odeur agréable, et « thérapie », traitement destiné à soigner une maladie physique ou mentale. Littéralement, « aromathérapie » signifie « soigner par les odeurs ». Il ne s'agit pas de parfums, mais d'huiles essentielles pures tirées de plantes appréciées pour leurs propriétés thérapeutiques.*

CI-DESSUS **Fleurs, feuilles, herbes, écorce et racines sont les cinq sources principales des huiles essentielles.**

LAVANDE

Le traitement suppose l'application de ces huiles sur le corps pour améliorer la santé physique, mentale et émotionnelle de l'individu.

Les huiles essentielles sont les outils de base de l'aromathérapie. Extraites des plantes (*voir* p. 20), elles sont utilisées pour traiter tous les systèmes de l'organisme, les troubles de l'esprit et les déséquilibres émotionnels.

Il existe de nombreuses manières d'utiliser les huiles essentielles. Les aromathérapeutes professionnels ont tendance à considérer le massage comme la méthode la plus efficace

CI-DESSUS **Pour un massage, les huiles essentielles sont diluées à de l'huile végétale.**

pour faire pénétrer les huiles dans le corps, augmentant ainsi le potentiel curatif de l'aromathérapie.

Les propriétés médicales des huiles et le pouvoir réconfortant du toucher se combinent pour former un traitement curatif puissant. Un massage peut être relaxant ou dynamisant ; il peut

BOIS DE SANTAL

FEUILLES D'EUCALYPTUS

apaiser le système nerveux ou stimuler les systèmes sanguin et lymphatique pour améliorer les fonctions physiques et mentales. La manière dont l'aromathérapie soulage la douleur et la tension de muscles tétanisés et surmenés, tout en ayant une action positive sur l'humeur, n'est pas le moindre de ses bienfaits. Quand vous le pouvez, chez vous,

ajoutez un massage à votre traitement aromathérapique. Si ce n'est pas possible, utilisez l'une des méthodes citées ci-dessous et décrites plus en détail pages 16 à 19.

CI-DESSUS
Réchauffez toujours l'huile de massage dans vos mains avant de l'appliquer sur la peau.

À DROITE *Quand un massage complet est impossible, un massage doux du dos est souvent le meilleur choix de traitement.*

COMMENT UTILISER LES HUILES ESSENTIELLES

En massage, en diluant les huiles essentielles.

En inhalations à la vapeur, en combinant eau chaude et huiles essentielles.

Les diffuseurs utilisent la chaleur pour libérer dans l'air le parfum et les propriétés des huiles.

Dans des bains parfumés aux huiles.

En compresses de coton imbibées d'huiles essentielles diluées à l'eau.

En crèmes, lotions, shampooings et gels douche agrémentés d'huiles essentielles.

En gargarismes et en bains de bouche.

Pures, certaines huiles peuvent être appliquées directement, non diluées, sur la peau, mais jamais sur les muqueuses !

Un peu d'histoire

LA PLUPART *des cultures antiques reconnaissaient les bienfaits thérapeutiques des huiles végétales aromatiques. La littérature védique de l'Inde et les textes médicaux chinois témoignent de l'importance des huiles parfumées pour la santé et la spiritualité. Hippocrate, considéré comme le père de la médecine, a utilisé des fumigations odorantes pour chasser la peste d'Athènes, et les soldats romains retrouvaient leur vigueur grâce à des bains parfumés d'huiles et des massages réguliers. Mais les traditions aromatiques les plus riches appartiennent à l'Égypte ancienne, où se seraient rendus des médecins du monde entier pour se former auprès des maîtres.*

CI-DESSUS *Les anciens Égyptiens utilisaient des huiles parfumées telles que le bois de cèdre, l'oliban et la myrrhe dans le processus d'embaumement.*

L'AROMATHÉRAPIE EN OCCIDENT

On pense que l'aromathérapie a été acclimatée en Occident à l'époque des croisades. Des archives font état de l'utilisation d'huiles aromatiques pendant les épidémies de peste au XIVᵉ siècle. Mais l'aromathérapie est devenue particulièrement populaire aux XVIᵉ et XVIIᵉ siècles. Les grands herboristes européens, parmi lesquels l'Anglais Nicholas Culpeper, ont beaucoup écrit sur ses bienfaits. Durant les deux derniers siècles, les scientifiques sont parvenus à une plus grande compréhension de la chimie des huiles végétales.

LAVANDE

CI-DESSOUS *Des manuscrits sur papyrus vieux de 4 000 ans rapportent comment les Égyptiens utilisaient les huiles aromatiques à des fins religieuses et médicales.*

LES PIONNIERS MODERNES

Paradoxalement, la recherche scientifique a conduit à l'essor de la médecine industrielle, au détriment de la médecine par les plantes. Puis, dans les années vingt, le chimiste français René Maurice Gattefossé fut intrigué par les vertus curatives des huiles essentielles. Il découvrit que l'huile de lavande avait rapidement guéri sa main brûlée et que beaucoup d'huiles essentielles constituaient de meilleurs antiseptiques que leurs équivalents synthétiques. C'est à lui que l'on doit le terme d'« aromathérapie ».

CI-DESSUS *Culpeper a découvert les propriétés de nombreuses plantes.*

Le docteur Jean Valnet

Le Français Jean Valnet, chirurgien militaire, poursuivit les recherches de Gattefossé en utilisant les huiles essentielles pour soigner les soldats blessés au combat. Plus tard, il employa les huiles avec succès sur des patients internés en hôpital psychiatrique. En 1964, Valnet publia *Aromathérapie*, unanimement considéré comme la bible de cette discipline.

Marguerite Maury

Dans les années cinquante, Marguerite Maury, esthéticienne, ouvrit des cliniques d'aromathérapie en Grande-Bretagne. Elle enseigna aux esthéticiens comment utiliser les huiles essentielles en massages pour traiter chaque client individuellement. Ces dernières années, l'aromathérapie est allée bien au-delà des soins de beauté. Elle occupe désormais une partie importante et reconnue des thérapeutiques d'appoint.

CI-DESSOUS *La coriandre est utilisée de manière thérapeutique depuis au moins 4 000 ans.*

Comment agit l'aromathérapie ?

LES HUILES ESSENTIELLES *pénètrent dans le corps par inhalation et par absorption à travers les pores de la peau. Leur action sur l'organisme est triple : pharmacologique, physiologique et psychologique, comme indiqué ci-dessous.*

Une fois les huiles inhalées, des signaux aromatiques sont envoyés au système limbique du cerveau, où ils agissent directement sur l'esprit et les émotions

Les composants chimiques des huiles sont transportés par le sang partout dans le corps, où ils réagissent avec la chimie de l'organisme de la même manière que les médicaments

Certaines huiles ont aussi des affinités avec des régions particulières du corps et leurs propriétés ont un effet équilibrant, calmant ou stimulant sur les systèmes organiques

Après plusieurs heures, les huiles quittent l'organisme. La plupart sont exhalées, d'autres sont éliminées dans les urines, les matières fécales et la transpiration

À GAUCHE **Il faut entre 20 minutes et plusieurs heures pour que le corps absorbe les huiles essentielles ; 90 minutes en moyenne.**

QU'ÉPROUVE-T-ON ?

En fonction du choix des huiles et de la méthode employée, l'aromathérapie procure bon nombre de sensations. Pour la plupart des gens, le traitement est plaisant, agréable et relaxant.

À GAUCHE *Le massage est réconfortant pour les personnes qui n'ont que peu de contacts physiques.*

À GAUCHE *Les lotions ou les masques contenant des huiles essentielles soulagent les affections légères de la peau.*

QUE TRAITE-T-ON ?

L'aromathérapie profite plus à l'individu qu'elle ne soigne ses maladies. Mais elle s'est avérée particulièrement efficace pour certains problèmes, notamment le stress, les douleurs musculaires et rhumatismales, les troubles digestifs, les déséquilibres menstruels et de la ménopause, l'angoisse, l'insomnie et la dépression.

QUI PEUT EN PROFITER ?

Les gens de tous âges, quel que soit leur état de santé, peuvent en profiter. L'aromathérapie protège les bébés et les enfants et apporte aux personnes âgées un sentiment de bien-être. Les femmes enceintes et même les patients gravement malades peuvent bénéficier d'un traitement professionnel.

CI-DESSOUS *Un bain thérapeutique est la manière la plus facile de vous soigner à la maison.*

Les huiles sont inhalées et absorbées

11

Le traitement

CE LIVRE est à la fois une introduction à l'aromathérapie et un manuel pratique pour se soigner soi-même. De toutes les thérapies d'appoint, l'aromathérapie est l'une des plus agréables ; elle est sûre et facile à mettre en œuvre chez soi. Voici quelques conseils de base.

À GAUCHE *Des huiles diluées peuvent être appliquées localement sur une zone infectée.*

QUAND CONSULTER UN PROFESSIONNEL ?

Consultez toujours un professionnel pour des problèmes de santé chroniques ou sérieux, ou si un problème devient grave ou persistant. Dans certains cas, l'automédication est déconseillée.

VOUS SOIGNER VOUS-MÊME

Uniquement lorsqu'il s'agit d'affections mineures ou de courte durée. Par exemple :

- Coupures, brûlures et contusions mineures
- Rhumes, grippe et infections respiratoires
- Eczéma léger, dermatites, éruptions cutanées ou piqûres légères
- Manifestations occasionnelles de constipation ou de diarrhée, hémorroïdes, indigestion
- Cystite occasionnelle, règles douloureuses ou irrégulières et syndrome prémenstruel léger
- Anxiété momentanée, tension, dépression légère et insomnie
- Tous les cas énumérés pages 53 à 58

De combien de séances avez-vous besoin ?

Le nombre de séances dépend de la nature du problème, de son ancienneté et du temps que vous pouvez y consacrer. Pour la relaxation, suivez autant de séances que vous le souhaitez.

Puis-je associer le traitement à d'autres thérapies ?

L'aromathérapie est compatible avec la médecine classique et la plupart des autres formes de soins holistiques. Mais si vous prenez des médicaments, il serait plus sage de consulter votre médecin et votre aromathérapeute. Certaines huiles essentielles ne sont pas compatibles avec un traitement homéopathique.

ATTENTION

Dans les cas suivants, faites-vous conseiller et traiter par un praticien qualifié :

- Vous êtes enceinte
- Vous souffrez d'allergies
- Vous souffrez d'affections chroniques comme l'hypertension ou l'épilepsie
- Vous suivez un traitement médical ou psychiatrique
- Vous prenez des médicaments homéopathiques
- Vous désirez traiter un bébé ou un très jeune enfant

Comment trouver une huile de bonne qualité ?

CI-DESSUS *Les huiles essentielles ajoutent une fragrance fraîche et naturelle aux lotions et aux pots-pourris.*

Choisissez uniquement des flacons étiquetés « huile essentielle pure », où l'huile n'est ni diluée ni frelatée. Dans le doute, consultez l'une des principales associations d'aromathérapeutes, qui vous fournira une liste de détaillants agréés.

À GAUCHE *Si vous voulez recourir à l'aromathérapie pendant votre grossesse, mieux vaut consulter un médecin.*

LES MÉLANGES D'HUILES

Les huiles essentielles peuvent être utilisées seules ou en mélange. Il y a deux raisons de mélanger des huiles : soit pour renforcer ou modifier leurs actions médicinales, soit pour créer une fragrance plus sophistiquée. En parfumerie, on marie souvent les huiles.

Ylang-ylang

Dans une perspective thérapeutique, il est rare d'en employer plus de quatre à la fois.

Lorsque vous mélangez les huiles chez vous, mieux vaut n'en combiner que deux ou trois. En effet, les mélanges altèrent la structure moléculaire des huiles essentielles et vous pouvez obtenir un produit dont l'effet n'est pas celui attendu. Assurez-vous que les propriétés des huiles sont complémentaires.

Romarin

MÉLANGES D'HUILES POUR MASSAGES

1 Choisissez pour base une huile végétale légère : pépins de raisin, amande douce ou tournesol.

2 Ajoutez les huiles que vous avez choisies en petites quantités, secouez le flacon et étalez un peu de mélange sur le dos de votre main pour juger du résultat. Continuez ainsi jusqu'à obtention du mélange désiré.

3 Enfin, ajoutez environ 5 % d'huile de germe de blé pour assurer la conservation du mélange.

QUELQUES CONSEILS POUR VOS MÉLANGES

Choisissez deux ou trois huiles que vous savez complémentaires entre elles. En général, les huiles d'un même groupe (huiles d'agrumes, florales, épicées, etc.) et celles qui ont des composants similaires se mélangent bien. À partir des proportions indiquées au chapitre *Les techniques de l'aromathérapie*, réalisez un mélange en utilisant peu d'huiles très parfumées et davantage d'huiles aux fragrances plus légères. Tout au long de ce livre, vous trouverez des recettes de mélanges. Mais laissez-vous guider par vos goûts personnels. Les meilleurs mélanges sont généralement ceux qui vous attirent le plus.

CI-DESSUS *Les huiles sont extraites des différentes parties des plantes et mélangées à d'autres huiles pour produire un parfum ou un remède personnalisé.*

CI-DESSOUS *Une fois prêts, les mélanges peuvent être ajoutés à différentes bases, bain moussant par exemple, ou conservés dans des flacons de couleur sombre.*

PRÉCAUTIONS
Sur une peau sensible, appliquez les huiles avec précaution. Évitez la myrrhe pendant la grossesse. N'avalez pas les bains de bouche ou les gargarismes.

Les techniques de l'aromathérapie

IL Y A DE NOMBREUSES *manières d'utiliser les huiles essentielles à la maison. Les massages et les bains sont les techniques les plus répandues,* mais l'application des huiles sur le corps est généralement plus efficace que les inhalations. Il existe, par ailleurs, plusieurs autres techniques qui sont particulièrement bénéfiques dans certains cas.

CI-DESSUS **Rassemblez** tout ce dont vous avez besoin pour votre traitement avant de commencer.

CI-DESSOUS *Servez-vous de vos deux mains pour « travailler » le corps.*

LE MASSAGE

Diluez l'huile essentielle dans une huile végétale neutre. Pour un adulte, comptez 5 gouttes d'huile essentielle pour 1 cuillère à café d'huile végétale, la moitié pour un enfant de moins de sept ans et le quart pour un enfant de moins de trois ans. N'utilisez pas d'huiles essentielles en massage sur un nouveau-né.

AVANTAGES : C'est l'emploi le plus relaxant, le plus sensuel et le plus thérapeutique de tous les traitements aromathérapiques.

INCONVÉNIENTS : Il vous faut un partenaire volontaire et compétent. Efficace à long terme.

TECHNIQUES DE BASE DU MASSAGE

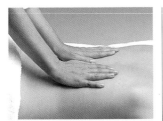

1 EFFLEURAGE *Placez vos mains à plat au milieu du dos de votre partenaire. Faites-les glisser vers le haut, en vous appuyant sur vos paumes pour accentuer la pression. Aux épaules, déployez vos mains en éventail de chaque côté et caressez doucement. Recommencez en variant la durée de chaque caresse.*

2 CERCLES *Posez vos deux mains sur votre partenaire, à quelque distance l'une de l'autre, et décrivez de larges mouvements circulaires. Montez en appuyant et redescendez en glissant avec légèreté. Vos bras vont se croiser en décrivant un cercle ; passez une main par-dessus l'autre pour continuer.*

3 PÉTRISSAGE *Placez vos deux mains sur la zone à masser, les doigts tendus vers l'avant. Faites pression sur le corps avec la paume d'une main, saisissez la chair entre votre pouce et vos doigts et repoussez-la vers votre main immobile. Relâchez et recommencez avec l'autre main.*

4 *Finissez par des caresses douces et apaisantes. Terminez le massage en tenant le pied de votre partenaire pendant quelques secondes. Cela permet de « réveiller » le patient et de le ramener à la réalité.*

INHALATIONS
À LA VAPEUR

Versez 3 à 4 gouttes d'huile dans un bol d'eau bouillante. Penchez-vous au-dessus du bol, la tête recouverte par une serviette, et respirez profondément pendant quelques minutes.

• **Avantages** : Méthode rapide et facile ; la chaleur accentue les bienfaits des huiles anti-inflammatoires.

• **Inconvénients** : Ne convient pas toujours aux asthmatiques et aux personnes souffrant de capillarite. Dangereux pour les enfants.

LES DIFFUSEURS

S'ils se présentent parfois sous la forme d'un anneau électrique ou d'une céramique chauffée par une ampoule, la plupart des diffuseurs sont des pots de céramique chauffés par une petite bougie. Versez de l'eau et 6 à 8 gouttes d'huile dans le diffuseur. Vous pouvez aussi ajouter l'huile à un bol d'eau et faire chauffer celui-ci sur un radiateur.

• **Avantages** : Parfume et purifie l'air, action antimicrobienne. Efficace contre les problèmes émotionnels et respiratoires.

• **Inconvénients** : L'une des manières les moins efficaces de faire pénétrer les huiles dans l'organisme.

UN BAIN AUX HUILES

Pour les adultes, versez 5 à 10 gouttes d'huile essentielle dans l'eau du bain. Agitez. Utilisez 4 gouttes au maximum pour les enfants de plus de deux ans et 1 goutte pour les bébés. Comptez 2 à 3 gouttes d'huile pour un bain de pieds.

AVANTAGES : Facile à réaliser, relaxant.

INCONVÉNIENTS : Aucun.

CRÈMES, LOTIONS
ET SHAMPOOINGS

Ajoutez 1 ou 2 gouttes d'huile essentielle à des crèmes, lotions et shampooings et massez la peau ou le cuir chevelu. Choisissez des produits non parfumés composés d'ingrédients naturels de bonne qualité.

AVANTAGES : Conviennent à un usage quotidien.

INCONVÉNIENTS : Peuvent irriter les peaux sensibles.

CI-DESSUS *Verser une huile aromatique dans l'eau courante en libère le parfum.*
À DROITE *Les inhalations à la vapeur sont efficaces contre les congestions, les gros rhumes et les maux de tête.*

GARGARISMES ET BAINS DE BOUCHE

Diluez 4 à 5 gouttes d'huile dans une cuillère à café d'alcool fort. Versez le mélange dans un verre d'eau chaude et rincez-vous la bouche ou gargarisez-vous. Ne pas avaler !

AVANTAGES : Idéal pour les maux de gorge et les ulcérations buccales.

INCONVÉNIENTS : Ne convient pas aux enfants. Goût désagréable.

ATTENTION

N'avalez jamais les huiles essentielles. En cas d'ingestion accidentelle, consultez votre médecin ou contactez le SAMU.

COMPRESSES

Versez 4 à 5 gouttes d'huile dans un bol d'eau chaude ou froide. Trempez un mouchoir de coton propre et plié, essorez-le et appliquez-le sur la zone affectée. Si vous utilisez une compresse chaude, couvrez-la avec une serviette également chaude.

• N'appliquez jamais une compresse chaude sur une inflammation ou sur un syndrôme infectieux.

• Les compresses chaudes sont conseillées pour les douleurs musculaires, les otites, l'arthrose, les rhumatismes, les maux de dents.

• Les compresses froides sont recommandées contre les maux de tête et les entorses.

Utilisez un tissu de coton propre

Maintenez la compresse en place jusqu'à ce que la douleur ait faibli

À DROITE **Chaudes ou froides, les compresses soulagent la douleur.**

UTILISÉES PURES

Quelques huiles essentielles telles que la lavande, l'arbre à thé et le bois de santal peuvent être appliquées pures sur la peau. La plupart des autres huiles, utilisées pures, peuvent provoquer des irritations.

Les huiles essentielles

LES HUILES ESSENTIELLES *sont extraites des feuilles, des fleurs, des fruits, du bois, de l'écorce et des racines des plantes et des arbres. Ce sont des composés chimiques à multiples facettes, plus complexes et souvent plus sûrs que les produits pharmaceutiques, mais d'une efficacité plus lente. Il vaut donc mieux les utiliser à titre préventif ou en complément d'un autre traitement.*

CI-DESSUS **Les huiles sont distillées peu de temps après la récolte, car les végétaux sont rapidement périssables.**

Il existe environ 150 huiles essentielles destinées à un usage aromathérapique. Dans les pages qui suivent, vous trouverez des informations détaillées sur 15 des huiles les plus utilisées, que vous pouvez vous procurer chez les herboristes, dans les espaces santé et dans certaines grandes pharmacies.

Chaque huile essentielle possède une fragrance unique et au moins 100 composants chimiques, qui s'associent pour soigner le corps et l'esprit. Toutes les huiles sont antiseptiques et peuvent avoir de nombreuses autres qualités : anti-inflammatoires,

analgésiques ou antidépressives. En outre, toutes appartiennent à une catégorie particulière en fonction de leur caractéristique dominante : stimulante, relaxante ou rafraîchissante, par exemple. Certaines huiles telles que la lavande sont adaptogéniques, c'est-à-dire qu'elles font ce que le corps en attend au moment de l'application. Nul ne comprend vraiment la manière dont les huiles essentielles influencent ainsi le fonctionnement de l'organisme.

CI-DESSOUS **Les huiles essentielles sont solubles dans l'huile ou dans l'alcool pur, mais non dans l'eau.**

CI-DESSUS *Les huiles essentielles doivent être conservées hors de la portée des enfants et utilisées dans les trois mois.*

L'EXTRACTION DES HUILES

La plupart des huiles essentielles pures sont extraites par distillation à la vapeur d'eau, mais d'autres méthodes, telles que l'extraction par solvant, l'enfleurage et la pression sont également employées. Pour un résultat optimal, les huiles essentielles doivent être extraites d'ingrédients naturels bruts et rester aussi pures que possible.

VOS 15 HUILES

Les huiles détaillées dans les pages suivantes ont été choisies pour leur sûreté, leur efficacité, leur prix et leur souplesse d'utilisation. Les mélanges sont réalisés à partir de 10 gouttes d'huile essentielle. Adaptez les quantités selon la technique d'utilisation choisie. Quelques huiles supplémentaires sont mentionnées dans le chapitre *Affections courantes*.

LES DIFFÉRENTES TECHNIQUES

Voici les symboles utilisés de la page 23 à la page 51 :

Massage

Bain de pieds

Bain

Inhalation

Douche

Compresse

Diffuseur

Gargarisme

Non diluée

Shampooing

Crème ou lotion

Bain de bouche

Coton hydrophile humide ou pansement

Lavande

LAVANDULA ANGUSTIFOLIA

DE TOUTES LES VARIÉTÉS *de lavande à vocation médicinale, la* Lavandula angustifolia *est la plus importante. C'est la plus souple, la plus appréciée et la plus thérapeutique de toutes les huiles essentielles. Fleurs et feuilles sont extrêmement aromatiques, mais seules les fleurs sont utilisées pour fabriquer l'huile essentielle.*

CI-DESSUS *La lavande est une huile unique car polyvalente et se prêtant aisément aux mélanges.*

CI-DESSOUS *Les fleurs violettes et odorantes sont utilisées pour produire une huile jaune pâle.*

Les feuilles sont aromatiques lorsqu'on les frotte

PROPRIÉTÉS

La lavande, calmante, apaisante et antidépressive, renforce l'équilibre affectif. Grâce à ses propriétés antiseptiques, antibactériennes et analgésiques, elle soigne coupures, blessures et brûlures (du premier degré). Comme elle est également décongestionnante, elle est efficace contre les petits et les gros rhumes et contre la grippe. La lavande abaisse la tension, prévient et soulage les spasmes ; elle est antirhumatismale et tonique. Plus important encore, c'est un adaptogène, c'est-à-dire qu'elle peut rétablir l'équilibre et amorcer la guérison d'un organisme déstabilisé.

INDICATIONS

 maux et douleurs, tension, dépression et insomnie

 problèmes digestifs

 tous usages externes

tous rhumes, grippe et difficultés respiratoires

brûlures, coupures, éruptions cutanées et maux de tête

irritations de la gorge ou des gencives, mauvaise haleine

Se mélange bien avec
• Des huiles florales : rose, géranium, ylang-ylang, camomille et jasmin
• Des huiles d'agrumes : orange, citron, bergamote et pamplemousse
• Le romarin, la marjolaine, le patchouli, la sauge sclarée, la camomille, le bois de cèdre, le clou de girofle et l'arbre à thé

Suggestions de mélanges
CONTRE LE MAL DE DOS
4 gouttes de lavande
3 gouttes d'eucalyptus
3 gouttes de gingembre

CONTRE LES OTITES
2 gouttes de lavande
2 gouttes d'arbre à thé
6 gouttes de camomille

CONTRE L'IRRITABILITÉ
3 gouttes de lavande
4 gouttes de camomille
3 gouttes de néroli

PRINCIPAUX USAGES

Bénéfique pour des problèmes de peau tels que brûlures, contusions, taveleures, allergies et piqûres d'insectes. Les affections nerveuses telles que tension, dépression, insomnie, maux de tête, stress et hypertension y sont particulièrement sensibles. On peut l'utiliser pour soulager crampes d'estomac, nausées, coliques, flatulences et indigestion. Elle soulage également la cystite, l'asthme, les rhumes de cerveau, les infections de la gorge et dissipe la mauvaise haleine.

CI-DESSUS *L'huile de lavande augmente les bienfaits thérapeutiques de toutes les huiles auxquelles elle est mélangée.*

PRÉCAUTIONS D'EMPLOI
Généralement sans danger, les personnes affectées de rhume des foins ou d'asthme peuvent toutefois y être allergiques.

EAU DE LAVANDE
Versez 8 cl d'eau de rose dans un flacon et ajoutez 30 gouttes d'huile de lavande. Secouez bien et laissez reposer dans l'obscurité pendant deux semaines. À utiliser comme un tonique de la peau.

Arbre à thé

MELALEUCA ALTERNIFOLIA

CET ARBRE ou arbuste de la famille des myrtacées, communément appelé arbre à thé, est un remède traditionnel des aborigènes d'Australie. Des études récentes ont prouvé que l'huile de l'arbre à thé peut combattre toutes sortes d'infections bactériennes, fongiques ou virales. Elle soutient également le système immunitaire dans sa lutte contre les infections.

Les feuilles de l'arbre à thé sont extrêmement antiseptiques

PROPRIÉTÉS

D' abord anti-infectieuse, l'huile de l'arbre à thé possède des propriétés antifongiques, antibactériennes et antivirales. Elle enraye également les infections. C'est un expectorant qui soulage les inflammations et stimule le système immunitaire.

Une application externe permet de soigner les blessures et favorise la formation du tissu cicatriciel.

On peut aussi l'utiliser pour éliminer les pellicules. Purifiante et déodorante, elle tue par ailleurs les parasites tels que les puces et les poux.

CI-DESSUS *On tire l'huile essentielle des feuilles et des tiges de l'arbuste.*

À DROITE *L'huile de l'arbre à thé est très efficace contre les problèmes de peau et peut souvent être appliquée pure.*

INDICATIONS

 coupures, piqûres, boutons de fièvre, verrues et aphtes

 infections de la gorge et de la bouche

 rhumes, grippe et infections respiratoires

 infections vaginales et urinaires

 mycoses et ampoules

 ampoules et éruptions cutanées

 chambres de malades, coups de froid et problèmes respiratoires

pellicules

Se mélange bien avec
• La lavande, le géranium, la camomille et la myrrhe
• Le citron, le romarin, la marjolaine, la sauge sclarée, le pin
• Les huiles épicées : muscade, clou de girofle et cannelle

Suggestions de mélanges

CONTRE LES INFECTIONS RESPIRATOIRES
5 gouttes d'arbre à thé
3 gouttes de pin
2 gouttes de thym

CONTRE LES POINTS NOIRS ET L'ACNÉ
4 gouttes d'arbre à thé
3 gouttes de bergamote
3 gouttes de lavande

POUR LA BOUCHE ET LES GENCIVES
5 gouttes d'arbre à thé
5 gouttes de myrrhe

PRINCIPAUX USAGES

L'huile de l'arbre à thé est fréquemment utilisée pour les problèmes cutanés : points noirs et acné, verrues, peau grasse, mycoses, éruptions, piqûres d'insectes et même brûlures et ampoules. Elle permet de soigner les coupures et les blessures infectées et est efficace contre les pellicules, les boutons de fièvre et certaines infections urinaires ou génitales telles que cystite et muguet. Elle combat également les coups de froid, la grippe, les infections respiratoires, les catarrhes et les maladies infectieuses. On l'utilise aussi pour favoriser la transpiration afin de faire tomber la fièvre.

L'arbre à thé est souvent utilisé dans les dentifrices, les shampooings, les gargarismes, les déodorants et dans certains savons hypoallergéniques.

ATTENTION
Les peaux sensibles doivent utiliser cette huile avec précaution.

À DROITE *Un bain de pieds à l'huile d'arbre à thé est recommandé pour le traitement des mycoses et soulage douleurs et ampoules.*

Romarin

ROSMARINUS OFFICINALIS

LE ROMARIN A ÉTÉ *l'une des premières herbes utilisées médicalement. Traditionnellement, on s'en servait pour chasser le diable, se protéger de la peste, et conserver et parfumer la viande. C'est toujours une herbe culinaire et médicinale très populaire et l'huile de romarin est considérée comme l'une des huiles essentielles les plus efficaces.*

*Les fleurs sont
bleu pâle ou roses*

*Feuilles pointues
d'un vert
argenté*

CI-DESSUS *Le romarin est
une plante méditerranéenne.
La France et l'Espagne
comptent parmi
les principaux pays
producteurs d'huile.*

PROPRIÉTÉS

L'huile de romarin stimule la circulation et tonifie le système nerveux, la peau, le foie et la vésicule biliaire. Rafraîchissante, antiseptique et antibactérienne, elle est également diurétique et purifiante. C'est un antidépresseur qui possède des propriétés antifongiques. Elle prévient et atténue les spasmes, tempère les flatulences et régule la digestion. Elle chasse les gros rhumes et la douleur. Sur le plan émotionnel, l'huile apaise l'épuisement psychique et clarifie l'esprit.

À GAUCHE *Le romarin
était jadis considéré
comme la plante
qui guérit tout.*

INDICATIONS

 douleurs et fatigues musculaires, rétention des fluides, règles douloureuses, mauvaise circulation

 petits et gros rhumes, toux, maux de tête

douleurs, entorses, maux de tête et problèmes digestifs

 sous forme de tonique, soulage les règles douloureuses et lutte contre la rétention d'eau

 pellicules et chute des cheveux

apathie et fatigue

Se mélange bien avec
• L'oliban, le petit grain, le basilic, le thym et la bergamote
• La lavande, la menthe poivrée, le pin, le bois de cèdre, le cyprès
• Des huiles épicées : cannelle, clou de girofle, gingembre et poivre noir

Suggestions de mélanges

CONTRE LA CONSTIPATION
4 gouttes de romarin
4 gouttes d'orange
2 gouttes de poivre noir

CONTRE LA FATIGUE MUSCULAIRE
3 gouttes de romarin
3 gouttes de gingembre
4 gouttes de lavande

CONTRE LA RÉTENTION D'EAU
3 gouttes de romarin
4 gouttes de citron
3 gouttes de patchouli

PRINCIPAUX USAGES

Excellente huile contre la fatigue musculaire et mentale, la toux et les coups de froid, la mauvaise circulation, les maux, douleurs et raideurs. Elle lutte également contre l'acné, l'eczéma, les pellicules, les poux et la chute des cheveux. Bénéfique contre la rétention des fluides, les règles douloureuses, les flatulences, les indigestions et la constipation. Soulage aussi les maux de tête, l'hypotension et les troubles liés au stress.

CI-DESSUS *L'huile incolore ou jaune pâle dégage un fort parfum d'herbe.*

GEL DOUCHE REVITALISANT

Si vous êtes fatigué et léthargique le matin, mélangez les huiles suivantes avec un peu de gel douche non parfumé et savonnez-vous avec une éponge.

• 1 goutte de romarin
• 2 gouttes de petit grain
• 1 goutte de pamplemousse

PRÉCAUTIONS D'EMPLOI
Ne pas utiliser pendant la grossesse. Le romarin est déconseillé aux personnes épileptiques ou hypertendues.

Sauge sclarée

SALVIA SCLAREA

CI-DESSUS *L'huile essentielle est extraite des fleurs et des feuilles par distillation à la vapeur d'eau.*

LA SAUGE SCLARÉE, *familièrement surnommée « œil clair », servait à l'époque médiévale à chasser les corps étrangers des yeux. Moins bien connue aujourd'hui que la sauge de jardin, elle reste cependant très appréciée en aromathérapie parce qu'elle est non toxique et qu'elle dégage une agréable odeur de noisette. Les effets de la sauge sclarée sont réputés euphorisants.*

PROPRIÉTÉS

La sauge sclarée est un antidépresseur et peut même avoir un effet euphorisant. Pour beaucoup de gens, elle est simplement apaisante grâce à son effet régulateur sur le système nerveux. On l'utilise également pour faciliter la digestion. C'est aussi un puissant relaxant musculaire. Ses propriétés astringentes la rendent efficace sur les peaux et les cheveux gras. On peut utiliser la sauge sclarée pour prévenir et arrêter certains types de convulsions. Elle combat les bactéries pathogènes et peut faciliter la menstruation. Elle est reconnue à la fois comme hypotenseur et comme aphrodisiaque.

Des bractées jaunes et pourpres supportent de petites fleurs pointues

CI-DESSUS **La sauge sclarée est originaire d'Italie, de Syrie et du Midi de la France.**

La sauge sclarée possède plusieurs des propriétés de la sauge commune

Pharmapmix

- Aspen
- Parfum
- timbres $0,1.
- Tinture cheveaux · (naturel!)

264 5363

INDICATIONS

 pour la plupart des problèmes physiques et émotionnels, ou ajoutée à un bain

 stress, dépression, maux de tête et infections de la gorge

 problèmes digestifs et règles douloureuses

infections de la gorge

problèmes de peau

Se mélange bien avec
• La lavande, l'oliban, le bois de santal, le bois de cèdre
• Les huiles d'agrumes : citron, orange et bergamote
• Le géranium, l'ylang-ylang, la baie de genièvre et la coriandre

Suggestions de mélanges

CONTRE L'ANXIÉTÉ
4 gouttes de sauge sclarée
3 gouttes d'ylang-ylang
3 gouttes de lavande

POUR LA MÉNOPAUSE
5 gouttes de sauge sclarée
2 gouttes de camomille
3 gouttes de géranium

COMME APHRODISIAQUE
4 gouttes de sauge sclarée
4 gouttes de bois de santal
2 gouttes de poivre noir

PRINCIPAUX USAGES

Particulièrement indiquée pour le traitement de l'anxiété, de la dépression et du stress. On l'utilise pour les problèmes de règles. Elle abaisse la tension et soulage indigestions et flatulences. Elle soulage les douleurs musculaires et les infections respiratoires et de la gorge. La sauge sclarée peut avoir un effet sur la frigidité et l'impuissance.

CI-DESSUS *L'huile est incolore, avec un arôme herbacé rappelant la noix.*

PRÉCAUTIONS D'EMPLOI

Ne pas utiliser pendant la grossesse. Si vous buvez de l'alcool, la sauge peut vous rendre ivre ou somnolent et provoquer des cauchemars. À déconseiller en cas d'insuffisances cardiaques ou rénales.

À DROITE *Des gargarismes à la sauge sclarée ne présentent aucun danger et sont efficaces contre les infections de la gorge.*

Eucalyptus

EUCALYPTUS GLOBULUS

PLUSIEURS DES 700 espèces d'eucalyptus sont utilisées dans la distillation d'huiles essentielles médicinales de qualité, mais la variété australienne « gommier blanc » est de loin la plus recherchée. En Australie, l'eucalyptus est un remède traditionnel et un ingrédient courant de nombreux baumes de poitrine et décongestionnants. En aromathérapie, son huile est utilisée de multiples façons.

CI-DESSUS *Les feuilles, jeunes et anciennes, sont distillées pour obtenir une huile incolore à l'arôme caractéristique.*

CI-DESSOUS *Seules 15 variétés sur plusieurs centaines fournissent une huile de qualité.*

Les feuilles des arbres adultes sont longues, pointues et de couleur jaune-vert

PROPRIÉTÉS

L'huile d'eucalyptus est un antiseptique puissant et un décongestionnant reconnu. Elle possède aussi de grandes propriétés antivirales. Elle soulage les inflammations en général et soigne efficacement les rhumatismes. L'huile possède aussi des vertus insecticides et peut être utilisée pour éliminer les parasites. Elle est diurétique et déodorante. Elle stimule le système immunitaire et c'est un analgésique local efficace, surtout pour les douleurs nerveuses. Entre autres propriétés, cette huile fait tomber la fièvre et soigne les blessures en favorisant la formation du tissu cicatriciel.

toux, rhumes, grippe,
problèmes de sinus
et infections des bronches

 douleurs musculaires
et rhumatismales

 purifie l'air dans
une chambre de malade,
repousse les moustiques

 vésicules de la varicelle,
éruptions cutanées
et piqûres d'insectes

coupures et blessures

Se mélange bien avec
- La menthe poivrée, l'arbre à thé
- Le romarin, le thym, la lavande
- Le bois de cèdre, le citron, le pin

Suggestions de mélanges
CONTRE LES MALADIES INFANTILES
3 gouttes d'eucalyptus
3 gouttes de camomille
4 gouttes de lavande
CONTRE LES INFECTIONS DES BRONCHES
4 gouttes d'eucalyptus
2 gouttes de thym
2 gouttes de pin
1 goutte de lavande

ATTENTION
Ne pas ingérer, même en petites
quantités, car ce pourrait être
mortel.

PRINCIPAUX USAGES

Utilisée surtout contre la toux, les coups de froid, les infections des bronches et les sinusites. Elle est particulièrement efficace pour enrayer les infections. L'huile d'eucalyptus apaise les douleurs musculaires, les rhumatismes et l'aponévrosite. Elle agit aussi contre les infections cutanées, les coupures et les ampoules, y compris celles associées à l'herpès génital et buccal, à la varicelle et au zona. Efficace contre les problèmes des voies urinaires tels que les cystites. Utilisée pour soigner les brûlures, l'huile d'eucalyptus soulage la douleur et favorise la formation de nouveaux tissus. Elle apaise les piqûres d'insectes et repousse efficacement les moustiques.

PRÉCAUTIONS D'EMPLOI
Ne pas associer à un traitement homéopathique. À n'utiliser que sur de courtes périodes, en raison d'un risque de toxicité. Ne pas employer sur des bébés ou de très jeunes enfants.

À DROITE *L'huile d'eucalyptus*
entre dans la composition
d'onguents, de liniments
et de remèdes contre la toux.

Géranium

PELARGONIUM GRAVEOLENS

LE GÉRANIUM EN POT *a une longue histoire dans la médecine par les plantes. Il en existe plus de 700 variétés, dont les huiles essentielles diffèrent en fonction du lieu où la plante a poussé. Doté d'un parfum frais et odorant, le géranium est traditionnellement considéré comme une huile féminine, puissamment curative et répulsive contre les insectes.*

CI-DESSOUS *Les feuilles fraîches et les petites fleurs roses de la plante sont distillées pour en extraire l'huile essentielle.*

Le parfum des fleurs ressemble un peu à celui de la rose

L'huile tire sa couleur verte des feuilles fraîches

PROPRIÉTÉS

L'huile de géranium est rafraîchissante et stimulante. Elle a un effet équilibrant sur le système nerveux et l'on dit que c'est un merveilleux antidépresseur. Ses propriétés anti-inflammatoires, apaisantes et astringentes expliquent qu'elle soigne si bien la peau. Grâce à ses vertus antiseptiques, elle est efficace sur les coupures et les infections. On pense aussi qu'elle est déodorante, diurétique et qu'elle équilibre le corps et l'esprit. Elle stimule le système lymphatique, arrête les écoulements de sang et peut être utilisée pour tonifier le foie et les reins.

INDICATIONS

 problèmes émotionnels, circulatoires, hormonaux et arthritiques

 tous soucis de santé, sauf infections de la gorge et de la bouche

 affections cutanées

 gorge douloureuse, angine et infections de la bouche

désodorise une pièce

Se mélange bien avec
• La lavande, la bergamote, la rose, le bois de rose
• Le bois de santal, le patchouli, l'oliban, le citron, le jasmin
• La baie de genièvre, l'arbre à thé, le benjoin, le basilic, le poivre noir

Suggestions de mélanges

POUR UNE PEAU SAINE
4 gouttes de géranium
2 gouttes de bergamote
3 gouttes de rose

CONTRE LA DÉPRESSION
5 gouttes de géranium
3 gouttes de benjoin
2 gouttes de rose

CONTRE LE SYNDROME PRÉMENSTRUEL
5 gouttes de géranium
3 gouttes de sauge sclarée
2 gouttes de rose

PRINCIPAUX USAGES

Traitement efficace pour de nombreux problèmes de peau : acné, érythème fessier du nourrisson, brûlures, ampoules, eczéma, coupures et pores congestionnés. Considérée comme féminine, l'huile de géranium traite aussi le syndrome prémenstruel et les problèmes de ménopause. Ses capacités drainantes soulagent les seins gonflés et la rétention d'eau, stimulent l'apathie lymphatique et la circulation sanguine. L'huile de géranium soulage également l'arthrose et les névralgies. De par ses propriétés antiseptiques, elle se prête particulièrement au traitement des amygdales irritées et des ulcérations buccales. Le géranium rétablirait l'équilibre émotionnel, soulageant l'apathie, l'anxiété, le stress, l'hyperactivité et la dépression.

CI-DESSUS
Le parfum de l'huile de géranium est léger, semblable à celui de la rose.

PRÉCAUTIONS D'EMPLOI
Peut irriter la peau de certaines personnes hypersensibles.
À éviter pendant les trois premiers mois de grossesse et absolument s'il y a des antécédents de fausse couche.

Citron

CITRUS LIMON

LE CITRON EST PLUS COMMUNÉMENT *considéré comme un fruit comestible que comme un agent curatif, mais il est utilisé partout en Europe - et depuis longtemps - à des fins thérapeutiques. L'huile essentielle extraite du zeste frais se prête à de nombreuses applications, ce qui la rend indispensable dans la pharmacie aromathérapique familiale.*

PROPRIÉTÉS

La propriété la plus importante du citron est sa capacité à stimuler les défenses anti-infectieuses de l'organisme. L'huile est également rafraîchissante et tonifie la circulation. C'est un antiseptique et un antibactérien merveilleux. L'huile de citron est astringente, diurétique et laxative et peut arrêter l'écoulement du sang. Elle peut aussi abaisser la tension, prévenir et soulager les rhumatismes et faire tomber la fièvre. Parce qu'il neutralise l'acidité dans l'organisme, le citron permet de maintenir un équilibre sain entre acides et alcalis.

L'huile essentielle est tirée du zeste du citron

Feuilles ovales persistantes

CI-DESSUS *Le citronnier est un bel arbre qui peut atteindre 6 mètres de haut, avec des fleurs odorantes, des feuilles ovales et des fruits jaune brillant.*

INDICATIONS

 comme tonique et pour la plupart des problèmes de santé

 comme rafraîchisseur d'ambiance ou pour améliorer l'humeur

 problèmes cutanés, coupures, gencives ou saignements de nez ; utilisée pure sur les verrues

 pour la circulation et comme tonique

coups de froid et états grippaux

en application locale en cas d'indigestion acide ou de douleur arthritique

Se mélange bien avec
• La lavande, la rose, l'ylang-ylang, le néroli, la camomille
• La baie de genièvre, le benjoin, l'oliban, le poivre noir, le basilic, le bois de santal
• D'autres huiles d'agrumes : orange, citron vert, bergamote

Suggestions de mélanges

POUR LA CIRCULATION
6 gouttes de citron
3 gouttes de cyprès
4 gouttes d'ylang-ylang

CONTRE LA FATIGUE
4 gouttes de citron
2 gouttes de poivre noir
4 gouttes de bois de santal

CONTRE LA DÉPRESSION
2 gouttes de citron
3 gouttes de rose
5 gouttes de bois de santal

PRINCIPAUX USAGES

L'huile de citron combat l'infection, arrête le saignement des coupures légères et du nez. On peut aussi l'utiliser pour éliminer verrues, cors et autres excroissances. Elle peut purifier les peaux grasses, soulager l'acné et les vésicules herpétiques. On l'utilise dans le traitement des gingivites, des ulcérations buccales, dans les cas d'indigestion acide, contre l'arthrose et les rhumatismes. Elle sert souvent à soigner les varices et les varicosités, la mauvaise circulation et l'hypertension. Elle soulage rhumes, grippes et bronchites. On l'emploie contre tous les types d'infection. L'huile de citron dissipe la dépression et chasse l'indécision. Elle peut éclaircir légèrement les taches de rousseur et c'est un répulsif efficace contre les insectes.

CI-DESSUS *L'huile jaune-vert laisse échapper une fragrance fraîche et citronnée.*

PRÉCAUTIONS D'EMPLOI
Peut irriter les peaux sensibles. Ne pas appliquer au soleil. À utiliser très diluée en massage ou dans un bain, et pas plus de quelques jours de suite.

Menthe poivrée

MENTHA PIPERITA

LA MENTHE POIVRÉE *est surtout connue pour soigner les problèmes digestifs. Les Romains et peut-être les anciens Égyptiens y avaient déjà recours. En dehors de ses nombreuses applications thérapeutiques, elle sert aussi à lutter contre les insectes. La menthe poivrée pousse partout en Europe, mais la grande majorité de l'huile provient des États-Unis.*

CI-DESSUS *La menthe poivrée est une plante vivace qui pousse partout dans le monde.*

On distille la fleur de la menthe poivrée pour fabriquer l'huile

Feuilles fraîches de menthe poivrée

PROPRIÉTÉS

L'huile de menthe poivrée est rafraîchissante et stimulante. Elle tonifie et stabilise le système digestif, soulage les flatulences et atténue les spasmes. Elle permet également de stimuler l'estomac, le foie et les intestins, tout en renforçant et tonifiant le système nerveux. Efficace comme expectorant, analgésique et antiseptique, elle calme les démangeaisons. L'huile de menthe poivrée peut faire tomber la fièvre en augmentant la transpiration et en rafraîchissant le corps. Elle clarifie également les idées. Du fait de ses propriétés stimulantes, on l'utilise souvent en soin d'urgence contre les chocs émotionnels.

INDICATIONS

 inhalée dans un mouchoir, mal des transports, chocs émotionnels, ou par diffuseur dans la chambre d'un malade

 maux de tête ou migraines

 rhumes, grippe, problèmes respiratoires, maux de tête, sinusites, nettoyage de peau

 nausées, diarrhée et troubles digestifs

 rhumes et fièvre

engelures

mauvaise haleine

Se mélange bien avec
• La lavande, la camomille, le romarin, le citron
• L'eucalyptus, le benjoin, le bois de santal, la marjolaine
• D'autres huiles mentholées

Suggestions de mélanges
CONTRE LES VOMISSEMENTS
4 gouttes de menthe poivrée
3 gouttes de lavande
3 gouttes de camomille

CONTRE LES MAUX DE TÊTE
3 gouttes de menthe poivrée
4 gouttes de lavande
3 gouttes de rose

CONTRE LA MAUVAISE HALEINE
5 gouttes de menthe poivrée
3 gouttes
de bergamote
2 gouttes de myrrhe

PRINCIPAUX USAGES

Couramment utilisée contre les indigestions, la diarrhée, les nausées, les crampes d'estomac et le mal des transports. Également contre les bronchites, les rhumes, la grippe, l'acné et la congestion de la peau. Efficace contre les maux de dents et de tête, et comme remède d'urgence contre les chocs émotionnels. L'huile de menthe soulage également la fatigue musculaire et intellectuelle et rafraîchit la mauvaise haleine.

CI-DESSUS *La fragrance de cette huile est fortement mentholée.*

PRÉCAUTIONS D'EMPLOI
Ne pas utiliser pendant la grossesse. Peut irriter les peaux sensibles. Incompatible avec un traitement homéopathique. À utiliser avec modération.

INHALATION
Pour les rhumes, la grippe et les problèmes respiratoires, utilisez l'huile seule ou mélangée à d'autres huiles expectorantes et antiseptiques :
• bois de santal et/ou pin pour les infections des bronches
• eucalyptus/lavande/bois de santal pour la grippe et les gros rhumes

Petit grain

CITRUS AURANTIUM

L'HUILE DE PETIT GRAIN *est souvent considérée comme une alternative bon marché à l'exquise huile essentielle de néroli. Ces deux huiles proviennent de l'oranger amer et présentent des propriétés et des fragrances similaires. Mais si le néroli est extrait des fleurs, le petit grain, au parfum frais et fleuri, est distillé à partir des feuilles et des tiges.*

Jadis, l'huile de petit grain était extraite de ces petites oranges encore vertes

PROPRIÉTÉS

L'huile de petit grain est rafraîchissante ou relaxante, selon les huiles avec lesquelles elle est mélangée.

C'est un antidépresseur efficace, qui peut aussi renforcer et soutenir le système nerveux et agir comme un tonique général. Elle stimule le système digestif et peut réguler et atténuer les spasmes dans l'organisme, surtout dans le système digestif.

L'huile de petit grain est un déodorant et un antiseptique léger. Elle permet également de contrôler la surproduction de sébum et c'est une huile de bain rafraîchissante.

CI-DESSUS **Le Citrus** aurantium *est originaire du Sud de la Chine et du Nord-Est de l'Inde.*

Les feuilles fraîches entrent dans le processus de distillation

INDICATIONS

 pour rafraîchir, détendre, ou pour la convalescence

 troubles émotionnels et physiques

 nettoyage des peaux ternes et grasses ou boutonneuses

 état dépressif ou anxiété

soins capillaires

problèmes de peau

Se mélange bien avec
• Le géranium, l'ylang-ylang, la camomille, la mousse de chêne, le jasmin
• La bergamote, le citron, l'orange, le néroli
• La sauge sclarée, le clou de girofle, le romarin, la lavande, la baie de genièvre

Suggestions de mélanges

CONTRE L'ANXIÉTÉ
4 gouttes de petit grain
3 gouttes de géranium
3 gouttes de bois de santal

CONTRE L'INSOMNIE
3 gouttes de petit grain
4 gouttes de lavande
3 gouttes d'ylang-ylang

POUR LES PEAUX SÈCHES
2 gouttes de petit grain
5 gouttes de camomille
3 gouttes de rose

À DROITE *On peut utiliser l'huile de petit grain pour soigner l'épuisement et la dépression.*

PRINCIPAUX USAGES

Idéale pour les problèmes de peau grasse, notamment l'acné, et pour les cheveux gras. On l'utilise parfois pour maîtriser une transpiration excessive et les flatulences. L'huile de petit grain est efficace pour de nombreux problèmes liés au stress tels que l'épuisement nerveux et l'insomnie. Elle est bénéfique pendant la convalescence, pour « recharger les batteries ». Rafraîchissante, elle peut soulager les sensations d'apathie, d'irritabilité, de dépression légère et d'anxiété. L'huile aurait également un effet réconfortant sur qui se sent triste et solitaire.

CI-DESSUS *L'huile jaune pâle à jaune foncé est un mélange rafraîchissant de notes florales et citronnées.*

PRÉCAUTIONS D'EMPLOI
Aucune.

Ylang-ylang

CANANGA ODORATA VAR. GENUINA

LE NOM DE CETTE PLANTE signifie « fleur des fleurs », ce qui convient parfaitement à sa fragrance suave. L'huile est distillée à partir des grandes fleurs odorantes d'un arbuste de Madagascar, qui peuvent être mauves, roses ou jaunes. On estime que les fleurs jaunes produisent la meilleure huile.

CI-DESSUS *L'huile est extraite de fleurs fraîches.*

PROPRIÉTÉS

L'huile d'ylang-ylang est utilisée comme sédatif et antidépresseur et généralement considérée comme « euphorisante ».

On lui attribue également des propriétés aphrodisiaques.

Sur le plan physique, c'est un antiseptique qui enraye la propagation des infections. Tonique des systèmes nerveux et circulatoire, elle apaise un rythme cardiaque et respiratoire trop rapide.

Elle permet aussi d'abaisser la tension. Elle contrôle par ailleurs la production de sébum et peut servir à réguler les fonctions de l'organisme en général.

CI-DESSUS *Feuilles fraîches de l'arbre tropical ylang-ylang, qui peut atteindre 20 mètres de haut.*

INDICATIONS

 problèmes physiques
et émotionnels

pour la relaxation et contre
la plupart des problèmes
physiques et émotionnels

soins de la peau
et des cheveux

chocs et autres états
émotionnels, inhalée
dans un mouchoir

Se mélange bien avec
• La lavande, le jasmin, le bois
de santal, la camomille,
la bergamote, la rose, le bois de rose
• Le patchouli, l'oliban
• Les huiles d'agrumes : citron
et bergamote

Suggestions de mélanges
CONTRE LE STRESS
3 gouttes d'ylang-ylang
4 gouttes de lavande
3 gouttes de sauge sclarée
CONTRE L'HYPERTENSION
2 gouttes d'ylang-ylang
5 gouttes de camomille
3 gouttes de lavande
CONTRE LA PEAU GRASSE
3 gouttes d'ylang-ylang
3 gouttes de citron
4 gouttes de géranium

À DROITE *La fragrance douce
et tenace de l'ylang-ylang, combinée
à sa réputation d'aphrodisiaque,
en fait un ingrédient très répandu
en parfumerie.*

PRINCIPAUX USAGES

L'huile d'ylang-ylang est
bénéfique pour les problèmes
de peau, surtout les peaux grasses
ou irritées, l'acné, ainsi que les
morsures et piqûres d'insectes.
L'ylang-ylang entre dans
la composition de l'huile
de Macassar, lotion datant
de l'époque Victorienne
et toujours utilisé comme
tonique capillaire. Il abaisse
efficacement la pression
sanguine et ralentit
le rythme respiratoire
et cardiaque en cas
de choc émotionnel, de panique ou de
colère. Son huile peut aussi soulager
la dépression, l'anxiété, la tension
et l'insomnie provoquée par le stress.
On peut également l'utiliser pour
traiter certains problèmes sexuels.

CI-DESSUS *Les huiles
d'agrumes atténuent
la fragrance intense de
cette huile jaune pâle.*

PRÉCAUTIONS D'EMPLOI
À haute dose, peut provoquer nausées
ou maux de tête. Peut irriter la peau
des personnes hypersensibles.
En tant qu'hypotenseur,
l'huile d'ylang-ylang est
déconseillée aux personnes
souffrant de problèmes
cardiaques. Conserver toutes
les huiles hors de portée
des enfants.

Camomille romaine

CHAMAEMELUM NOBILE

L'HUILE ESSENTIELLE DE CAMOMILLE *est l'une des plus douces et convient donc particulièrement bien aux enfants. Il existe de nombreuses variétés de camomille, mais les plus couramment utilisées sont la camomille romaine et la matricaire, qui présentent les mêmes propriétés et sont destinées aux mêmes usages. Les types de camomille varient d'un pays à l'autre.*

CI-DESSOUS *L'huile essentielle est distillée à partir des petites têtes fleuries de cette plante vivace et odorante.*

Capitule utilisé pour la distillation. Les fleurs de camomille ressemblent à des marguerites

PROPRIÉTÉS

L'huile de camomille apaise et calme le système nerveux et favorise le sommeil. Elle possède des propriétés anti-inflammatoires certaines et c'est un antiseptique et un bactéricide efficace. Elle prévient et apaise les spasmes, soulage la douleur, stabilise le système digestif et tonifie le foie. Elle équilibre aussi le cycle menstruel, libère la rétention des fluides et agit comme un antidépresseur et un antistress. Cette huile possède par ailleurs des propriétés cicatrisantes et antifièvre.

INDICATIONS

bébés et petits enfants
fatigués ou agités,
adultes stressés

douleurs, cystite,
furoncles, abcès bénins
ou plaies infectées

problèmes cutanés
et oculaires

douleurs musculaires,
problèmes menstruels,
insomnie, stress

Se mélange bien avec
• La lavande, l'ylang-ylang,
la sauge sclarée
• La bergamote, la rose, le néroli,
le géranium
• Le patchouli, le citron, le basilic,
le bois de santal, le romarin

Suggestions de mélanges
POUR LES ECCHYMOSES
4 gouttes de camomille
2 gouttes de citron
4 gouttes de rose

CONTRE LE MANQUE D'APPÉTIT
4 gouttes de camomille
4 gouttes de bergamote
3 gouttes de myrrhe

CONTRE LES MAUX D'OREILLES
5 gouttes de camomille
2 gouttes de basilic
3 gouttes de rose

PRINCIPAUX USAGES

Apaise les pleurs ou coliques des bébés, calme les maux de dents et d'oreilles. Cette huile est également très efficace pour traiter l'insomnie, l'anxiété et le stress. Bénéfique en cas de désordres digestifs tels qu'indigestion, nausées et flatulences. De nombreux types de douleurs lancinantes telles que maux de tête et de dents, douleurs menstruelles, maux et douleurs musculaires, arthrose, rhumatismes et névralgies réagissent bien à l'huile de camomille. C'est un traitement doux mais efficace contre les coupures et brûlures et contre toutes sortes de problèmes de peau : rougeurs, inflammations, furoncles, boutons, allergies, piqûres d'insectes et engelures. On utilise également la camomille pour traiter certains problèmes de fatigue oculaire ou de conjonctivite.

PRÉCAUTIONS D'EMPLOI
À éviter pendant les trois premiers mois de grossesse. Peut provoquer des dermatites. Aucun risque connu de toxicité.

À GAUCHE *La camomille produit un liquide bleu pâle qui vire au jaune pendant sa conservation.*

Oliban

BOSWELLIA CARTERI

L'OLIBAN EST *une huile merveilleusement apaisante et parfumée. Depuis la nuit des temps, on l'utilise à des fins religieuses et médicales. Elle est toujours considérée comme une huile profondément spirituelle, mais également bénéfique pour traiter de nombreux problèmes physiques et émotionnels.*

CI-DESSUS *L'arbre est somptueusement coloré de petites feuilles et de fleurs rose pâle ou blanches.*

CI-DESSOUS ET À DROITE
L'huile épicée, verdâtre ou jaune pâle, est extraite de la résine d'un petit arbre d'Afrique du Nord et de certains pays arabes.

La résine caoutchouteuse est un produit naturel de l'arbre

PROPRIÉTÉS

Ralentit et approfondit la respiration, détend le corps et l'esprit. L'huile d'oliban est antiseptique, astringente, anti-inflammatoire, immunostimulante et favorise la guérison des blessures. C'est aussi un expectorant et un tonique nerveux et utérin. Elle est bénéfique pour la menstruation et la digestion.

INDICATIONS

 cystite et la plupart des problèmes urinaires

 la plupart des problèmes physiques et émotionnels

 pour la méditation, contre l'anxiété et les difficultés respiratoires

 rhumes, grippe et infections respiratoires

problèmes de peau

coupures, cicatrices et imperfections de la peau

Se mélange bien avec
• Le géranium, la lavande, le bois de santal, le pin, le bois de cèdre, la rose, le néroli, la bergamote
• Des épices telles que la cannelle et le poivre noir
• Des huiles d'agrumes : orange et citron

Suggestions de mélanges
CONTRE LES CRISES DE PANIQUE
4 gouttes d'oliban
4 gouttes de lavande
2 gouttes de marjolaine

POUR LA MÉDITATION
6 gouttes d'oliban
2 gouttes d'ylang-ylang
2 gouttes de bergamote

POUR LES PEAUX ÂGÉES
3 gouttes d'oliban
4 gouttes de rose
3 gouttes de sauge sclarée

À DROITE *L'huile d'oliban dégage une odeur fraîche et légèrement camphrée.*

PRINCIPAUX USAGES

L'huile d'oliban est utile dans le traitement de nombreuses affections respiratoires et catarrhales : asthme, rhumes, infections des bronches et bronchite chronique. Elle a aussi de nombreuses utilisations dans les soins de la peau, y compris dans le traitement des coupures, des cicatrices, des imperfections et des inflammations. Elle est recommandée pour atténuer les rides et tonifier les peaux flasques ou âgées. Tonique nerveux, elle dissipe l'anxiété, la dépression et la tension nerveuse, entre autres problèmes dus au stress. Cystites, hémorroïdes, règles irrégulières ou hémorragiques et saignements de nez bénéficient également des vertus curatives de l'oliban.

CI-DESSUS *Le diffuseur est le moyen idéal pour profiter des vertus apaisantes, expectorantes et méditatives de l'oliban.*

PRÉCAUTIONS D'EMPLOI
On peut utiliser l'huile d'oliban en toute sécurité pendant une grossesse et il n'y a pas de risques connus associés à son usage externe. À garder hors de portée des enfants et ne pas ingérer.

Rose

ROSA DAMASCENA, ROSA CENTIFOLIA

CI-DESSUS *L'huile est distillée à partir des pétales de roses fraîchement récoltées.*

DEUX TYPES DE ROSE, *la rose de Damas et la rose-chou, servent à produire la majeure partie de l'huile de rose utilisée en aromathérapie. Si les fleurs diffèrent légèrement en couleur et en parfum, elles ont des propriétés et des usages similaires. L'huile de rose est chère, mais il en faut très peu pour profiter de ses nombreuses vertus thérapeutiques.*

Il faut beaucoup de rosiers pour obtenir une petite quantité d'huile.

CI-DESSUS *La rose, traditionnellement « féminine », produit une huile particulièrement bénéfique pour les femmes.*

PROPRIÉTÉS

Chimiquement, l'huile de rose est extrêmement complexe ; ses avantages sont nombreux et variés. On la sait aphrodisiaque, sédative et tonique, avec des propriétés antidépressives appréciables. C'est un antiseptique puissant contre les virus et les bactéries. L'huile de rose est astringente et tonifie le sang, le cœur, le foie, l'estomac et l'utérus.

Traditionnellement considérée comme une huile féminine, elle possède de remarquables affinités avec les organes reproducteurs féminins. Elle permet de réguler le cycle menstruel et les problèmes émotionnels qui en découlent. Elle prévient et soulage les spasmes du système digestif et exerce une action laxative. Tonique et adoucissante pour la peau, elle arrête les saignements et accélère la guérison des blessures en favorisant la formation du tissu cicatriciel. En outre, elle permet de désintoxiquer le sang et les organes.

INDICATIONS

 problèmes émotionnels
et physiques

 problèmes émotionnels
et physiques, surtout sexuels
ou du système reproducteur

 problèmes émotionnels

maux de tête,
conjonctivite, nausées
et problèmes d'estomac

affections de la peau

Se mélange bien avec
• La plupart des huiles, surtout
la sauge sclarée, le bois de santal,
le géranium, la bergamote,
le patchouli, l'ylang-ylang

Suggestions de mélanges

CONTRE LE RHUME DES FOINS
3 gouttes de rose
2 gouttes d'arbre à thé
5 gouttes de lavande

POUR LES PEAUX GERCÉES
4 gouttes de rose
3 gouttes de camomille
3 gouttes de bois de santal

CONTRE LE CHAGRIN
4 gouttes de rose
2 gouttes d'oliban
4 gouttes de camomille

PRINCIPAUX USAGES

L'huile de rose apaise et soigne les peaux craquelées, gercées, sensibles, sèches, enflammées ou à tendance allergique. Les veines accidentées, les peaux âgées ou ridées peuvent aussi profiter de ses bienfaits. On l'utilise pour améliorer la circulation, soulager la constipation, les nausées et traiter les problèmes digestifs tels que l'ulcère à l'estomac. La rose chasse la dépression, surtout sous ses formes prémenstruelle et postnatale. Elle traite aussi des affections liées au stress : l'insomnie et la tension nerveuse. Elle est efficace dans le traitement des maux de tête, d'oreilles et de la conjonctivite. Elle est recommandée en cas de règles irrégulières ou douloureuses. Elle favoriserait la conception. La fragrance de la rose adoucit également le rhume des foins, l'asthme et la toux.

PRÉCAUTIONS D'EMPLOI
À éviter pendant les trois premiers mois de grossesse et absolument s'il y a des antécédents de fausse couche.

À GAUCHE *L'huile de rose ayant sur la peau un effet doux mais puissamment régulateur, elle entre dans la composition de nombreuses crèmes et lotions du commerce.*

Patchouli

POGOSTEMON CABLIN

L'ARÔME TERREUX caractéristique du patchouli est de ceux que l'on aime ou que l'on déteste. L'odeur revêt une telle importance dans le succès de l'aromathérapie qu'il ne faut utiliser cette huile que si l'on en aime la fragrance. Dans ce cas, l'huile peut être utilisée efficacement de mille façons et s'avère particulièrement agréable lorsqu'elle entre dans la composition de mélanges.

CI-DESSUS **On fait fermenter et sécher les feuilles douces et vertes de cette plante broussailleuse avant d'en extraire l'huile essentielle par distillation à la vapeur d'eau.**

À DROITE **Le patchouli appartient à la même famille que le basilic et la sauge.**

Les feuilles du patchouli sont douces et duveteuses

PROPRIÉTÉS

Astringente, antivirale, antiseptique et anti-inflammatoire. Elle fait tomber la fièvre, enraye la propagation des infections et réduit la fréquence des vomissements.

L'huile de patchouli apaise et stabilise le système digestif, tonifie le système nerveux et l'organisme en général. Elle agit comme antidote et diurétique. L'huile de patchouli est fongicide et déodorante, elle régénère les cellules et favorise la guérison des blessures. C'est aussi un antidépresseur remarquable et, dit-on, un aphrodisiaque.

INDICATIONS

 cellulite, rétention d'eau, problèmes émotionnels et dus au stress

 problèmes émotionnels et physiques

 problèmes émotionnels et dus au stress

soins de la peau

en application sur les zones affectées

soins capillaires

Se mélange bien avec
● La rose, le géranium, la bergamote, le néroli, l'ylang-ylang, le citron
● Le bois de santal, la sauge sclarée, le clou de girofle, le bois de cèdre, la lavande

Suggestions de mélanges

POUR LES RIDES
2 gouttes de patchouli
3 gouttes de citron
5 gouttes de rose

POUR LES BLESSURES
3 gouttes de patchouli
4 gouttes de lavande
3 gouttes d'arbre à thé

CONTRE LES SAUTES D'HUMEUR
2 gouttes de patchouli
3 gouttes de citron
5 gouttes de géranium

À DROITE *Outre son parfum puissant, l'huile a la réputation d'enrayer la propagation des maladies.*

PRINCIPAUX USAGES

P armi ses nombreux usages, l'huile de patchouli est appréciée dans le traitement de la dépression, de l'anxiété, de l'épuisement nerveux, de l'inappétence sexuelle et des problèmes engendrés par le stress. Des affections cutanées mineures telles que peau crevassée ou craquelée et pores dilatés réagissent bien à l'huile de patchouli, par ailleurs efficace pour des problèmes cutanés plus sérieux : acné, eczéma et dermatites. C'est l'une des rares huiles recommandées contre la cellulite. Elle est particulièrement conseillée contre les infections fongiques de la peau. Elle est bénéfique pour les pellicules et cheveux gras.

CI-DESSUS *L'huile de patchouli est terreuse à l'œil et à l'odeur. De couleur ambre foncé avec un puissant arôme de moisi, elle est largement utilisée dans la fabrication d'aliments et de boissons pour masquer les goûts et les odeurs désagréables.*

PRÉCAUTIONS D'EMPLOI
À déconseiller aux personnes souffrant de rétention d'eau liée à des problèmes cardiaques ou d'insuffisances rénales. Ne pas ingérer.

Bois de santal

SANTALUM ALBUM

L'ODEUR ORIENTALE *et doucement boisée du santal est l'une des fragrances les plus attirantes parmi les huiles essentielles, ce qui explique son utilisation traditionnelle en tant que parfum et encens. La meilleure huile de bois de santal vient d'Inde, où on l'emploie depuis au moins 4 000 ans à des fins médicinales et religieuses.*

CI-DESSUS **L'huile,** *extraite par distillation à la vapeur d'eau, provient principalement du cœur d'arbres indiens matures. Seuls les arbres de plus de 30 ans conviennent à la production d'huile essentielle.*

PROPRIÉTÉS

L'huile de bois de santal est un antiseptique particulièrement efficace sur le système urinaire. Bactéricide et astringente, c'est aussi un répulsif reconnu contre les insectes. Elle soulage la rétention des fluides et les gros rhumes, favorise la guérison des blessures. Bien que sédative, elle constitue également un tonique polyvalent pour l'organisme. L'huile contient des éléments qui apaisent l'estomac, soulagent les spasmes (surtout ceux du système digestif) et atténuent les inflammations. C'est un antidépresseur qui a généralement un effet calmant sur le système nerveux. Ses propriétés aphrodisiaques sont largement reconnues.

CI-DESSUS **Les** *copeaux secs de bois de santal, imprégnés d'un parfum doux et boisé, peuvent servir d'encens.*

INDICATIONS

 affections de la peau

 pour la relaxation et la plupart des problèmes de santé

 en application sur les plaies superficielles, sur la poitrine en cas d'affection respiratoire

 problèmes respiratoires

maux de gorge (goût amer)

pour la relaxation, en aphrodisiaque

Se mélange bien avec
• La lavande, la rose, l'ylang-ylang, le géranium, la camomille
• Le patchouli, la bergamote, l'oliban, le poivre noir, le benjoin
• L'arbre à thé, la baie de genièvre, la myrrhe, le cyprès

Suggestions de mélanges
POUR L'ÉQUILIBRE HORMONAL
3 gouttes de bois de santal
4 gouttes de sauge sclarée
3 gouttes de lavande

CONTRE LES COUPS DE SOLEIL
3 gouttes de bois de santal
3 gouttes de lavande
4 gouttes de camomille

POUR RENFORCER
LE SYSTÈME IMMUNITAIRE
4 gouttes de bois de santal
2 gouttes d'arbre à thé
4 gouttes de lavande

PRINCIPAUX USAGES

Depuis toujours, on utilise l'huile de bois de santal pour traiter les affections respiratoires ; elle est efficace contre les bronchites, les toux sèches et les irritations de la gorge. Elle s'est avérée un antiseptique efficace pour tous les problèmes urinaires, surtout ceux des voies urinaires tels que la cystite. Les problèmes cutanés, peau sèche et crevassée, acné, psoriasis, eczéma et rougeurs bénéficient également de son action apaisante, réhydratante et antiseptique. Son parfum peut aussi permettre de chasser la dépression et de dissiper les sentiments d'anxiété et d'inappétence sexuelle.

CI-DESSOUS *Réputée aphrodisiaque, l'huile de bois de santal est indispensable dans un mélange destiné à un massage sensuel.*

PRÉCAUTIONS D'EMPLOI
Aucune.

Usages domestiques

LES HUILES ESSENTIELLES *offrent une alternative agréable aux médicaments habituels des armoires et trousses à pharmacie. Pour ces soins de base, vous avez besoin de six ou sept huiles polyvalentes. Ayez à disposition une huile de base, du coton hydrophile, de la gaze, des pansements et des bandes. Les huiles aromathérapiques doivent toujours être conservées hors de portée des enfants, bien qu'elles soient recommandées pour de nombreux accidents et maladies infantiles.*

LES INDISPENSABLES

- Arbre à thé
- Lavande
- Camomille
- Citron
- Eucalyptus
- Menthe poivrée
- Romarin
- Huile végétale pour les mélanges
- Coton hydrophile/gaze
- Flacon pour les mélanges
- Coton pour compresses
- Bandes/sparadrap
- Diffuseur

JOUEZ LA SÉCURITÉ

N'attendez pas des huiles essentielles qu'elles résolvent des problèmes qui nécessitent des compétences médicales. Pour tous les cas sérieux de chocs, de blessures ou de lésions, appelez un médecin et restez à côté du patient jusqu'à l'arrivée de celui-ci.

CI-DESSUS *L'application d'une huile aromatique avant une séance d'assouplissement vous détendra.*

CI-DESSOUS **Cette trousse de premiers secours est idéale pour la plupart des problèmes quotidiens.**

Compresses de coton

Coton hydrophile

Flacon pour les mélanges

Romarin   Lavande   Arbre à thé   Camomille   Huile de mélange   Citron   Eucalyptus   Menthe poivrée

Affections courantes

VOICI QUELQUES-UNS *des problèmes de santé courants que vous devriez pouvoir traiter à la maison avec succès. N'oubliez pas : si les symptômes persistent ou s'aggravent, consultez un aromathérapeute professionnel ou votre médecin. N'appliquez jamais des huiles essntielles pures sur les muqueuses (nez, oreilles, yeux, organes ano-génitaux) et ne les ingérez pas.*

ALLERGIES

Choisissez des huiles calmantes comme la lavande (p. 22-23) et la camomille (p. 42-43). Également la rose (p. 46-47), le bois de santal (p. 50-51) et l'ylang-ylang (p. 40-41). À utiliser en massages, bains, compresses, inhalations et lotions, selon la nature de l'allergie.

ANÉMIE

Citron (p. 34-35), thym et camomille (p. 42-43) en huile de massage et dans un bain.

ARTHROSE

Des huiles analgésiques telles que la camomille (p. 42-43), la lavande (p. 22-23) et le romarin (p. 26-27) dans un bain, en massage local et en compresses sur la zone affectée. Les huiles de poivre noir, de gingembre et de marjolaine améliorent la circulation.

BOUTON DE FIÈVRE

Les huiles d'eucalyptus (p. 30-31), de bergamote, de citron (p. 34-35) ou d'arbre à thé (p. 24-25) sont efficaces. Tamponnez le bouton avec cette dernière, pure ou diluée dans un alcool fort, avant qu'il n'éclate. Vous pouvez alterner avec de l'huile de lavande (p. 22-23) pour apaiser.

CELLULITE

Essayez en massage et en lotion pour la peau un mélange d'huile de géranium (p. 32-33) et de romarin (p. 26-27) ou de pamplemousse, de baie de genièvre ou de cyprès, ou encore ajoutez-le à un bain et utilisez une luffa pour stimuler les tissus.

CHUTE DES CHEVEUX ET CALVITIE 🍃

Huiles de lavande (p. 22-23),
de romarin (p. 26-27), de sauge, de bois
de cèdre, de patchouli (p. 48-49)
ou d'ylang-ylang (p. 40-41) en massages
sur le cuir chevelu et ajoutées
à un shampooing doux et non parfumé.

CYSTITE 🍃

Huiles de camomille (p. 42-43),
de bois de santal (p. 50-51), de lavande
(p. 22-23), d'oliban (p. 44-45)
ou d'arbre à thé (p. 24-25) dans des bains
et en applications locales au moins une
fois par jour. Utilisez en compresse une
dilution faible : environ 1 % dans
de l'eau bouillie et refroidie.

DÉPRESSION 🍃

Pour une dépression assortie d'insomnie,
utilisez les huiles de lavande (p. 22-23),
de bois de santal (p. 50-51), de
camomille (p. 42-43), de sauge sclarée
(p. 28-29) ou d'ylang-ylang (p. 40-41).
En cas de léthargie, utilisez de l'huile
de bergamote,
de géranium (p. 32-33),
de rose (p. 46-47).
Pour l'anxiété, essayez
l'ylang-ylang (p. 40-41) et le néroli.
Si possible, préférez les massages.
Sinon, utilisez les huiles dans un bain
ou en diffuseur.

DIARRHÉE 🍃

Huiles de camomille (p. 42-43),
de lavande (p. 22-23) et/ou de menthe
poivrée (p. 36-37), ajoutées à un bain
ou en massages sur l'abdomen. L'huile
d'eucalyptus (p. 30-31) est efficace
si la diarrhée est provoquée par une
infection virale.

ECZÉMA 🍃

Huiles de lavande (p. 22-23),
de camomille (p. 42-43), de bois
de santal (p. 50-51), de rose (p. 46-47),
de mélisse ou de géranium (p. 32-33),
dans un bain ou en massage. Ajoutez
les huiles à une lotion ou à une crème
aqueuse non parfumée et faites pénétrer
dans la peau en massant. Une compresse
froide peut apaiser les zones irritées.

ENGELURES 🍃

Huiles de citron (p. 34-35), de lavande
(p. 22-23), de camomille (p. 42-43),
de cyprès, de menthe poivrée (p. 36-37)
ou de poivre noir, en massages, en bain
ou en bain de pieds, ou tamponnées
sur la zone affectée.

ÉVANOUISSEMENT 🍃

Déposez deux gouttes d'huile de menthe
poivrée (p. 36-37), de lavande
(p. 22-23) ou de romarin (p. 26-27)

sur un mouchoir pour une inhalation, ou maintenez un flacon contenant l'une de ces huiles essentielles sous le nez du patient.

FATIGUE CHRONIQUE ❧

L'huile de l'arbre à thé (p. 24-25) renforce le système immunitaire, le romarin (p. 26-27) tonifie et le géranium (p. 32-33) est un antidépresseur. Mieux vaut, si possible, un massage, mais des bains et des inhalations en diffuseur sont également efficaces.

GINGIVITE ❧

Des bains de bouche à base d'huile d'arbre à thé (p. 24-25) ou de thym peuvent éliminer les bactéries qui provoquent l'infection. Ajoutez de l'huile de myrrhe pour accélérer la guérison et de l'huile d'orange pour renforcer les gencives.

GRIPPE ❧

Ajoutez de l'huile d'eucalyptus (p. 30-31), de lavande (p. 22-23), de menthe poivrée (p. 36-37) ou d'arbre à thé (p. 24-25) à un bain chaud dès les premiers symptômes de la maladie. À utiliser aussi en inhalations à la vapeur.

GUEULE DE BOIS ❧

Huiles de lavande (p. 22-23), de pamplemousse, de romarin (p. 26-27), de baie de genièvre, de fenouil ou de bois de santal (p. 50-51) dans un bain, dans un gel douche non parfumé, en inhalation, ou dans un diffuseur.

HÉMORROÏDES ❧

Huiles d'oliban (p. 44-45), de géranium (p. 32-33) ou de baie de genièvre ajoutées à un bain, à une lotion pour la peau ou sur une compresse froide. Si la constipation aggrave le problème, massez l'abdomen avec de l'huile de romarin (p. 26-27).

INDIGESTION ❧

Massez doucement l'estomac avec de l'huile de camomille (p. 42-43), de lavande (p. 22-23), de menthe poivrée (p. 36-37), de romarin (p. 26-27) ou de sauge sclarée (p. 28-29), ou appliquez une compresse chaude ou froide.

INSOMNIE ❧

Huiles de lavande (p. 22-23) et de camomille (p. 42-43), de bois de santal (p. 50-51), de rose (p. 46-47) et/ou d'ylang-ylang (p. 40-41). À utiliser dans un bain chaud avant le coucher, en massages ou dans un diffuseur. Essayez 2 gouttes de lavande (p. 22-23) sur un mouchoir glissé sous votre oreiller.

MAUX DE TÊTE 🍐

Huile de lavande pure (p. 22-23) frottée sur les tempes, le front ou la nuque. Ajoutez de l'huile de menthe poivrée (p. 36-37) si vous voulez garder votre vivacité. Inhalations d'huile de lavande (p. 22-23), de menthe poivrée (p. 36-37) ou d'eucalyptus (p. 30-31).

MONONUCLÉOSE INFECTIEUSE 🍐

L'huile d'arbre à thé (p. 24-25) est antivirale et renforce le système immunitaire. À utiliser en bains ou en massages.

MUGUET 🍐

Bains, massages et applications locales d'huiles antifongiques telles que la lavande (p. 22-23), l'arbre à thé (p. 24-25), la myrrhe, le géranium (p. 32-33) et la bergamote pour un muguet vaginal. Utilisez des bains de bouche à base de myrrhe pour un muguet buccal.

MYCOSE 🍐

Un bain de pieds avec de l'huile d'arbre à thé (p. 24-25), d'eucalyptus (p. 30-31), de patchouli (p. 48-49), de myrrhe et/ou de lavande (p. 22-23) est efficace, car toutes ces huiles sont apaisantes et antifongiques. Ajoutez-en aussi à une lotion non parfumée.

NAUSÉES ET VOMISSEMENTS 🍐

Soulagez avec de l'huile de lavande (p. 22-23), de camomille (p. 42-43),

de menthe poivrée (p. 36-37), de rose (p. 46-47) ou de bois de santal (p. 50-51) en appliquant une compresse chaude sur l'estomac. Massez doucement la région de l'estomac. Vous pouvez aussi utiliser un diffuseur.

NÉVRALGIE 🍐

Utilisez de l'huile de lavande (p. 22-23), de camomille (p. 42-43), de romarin (p. 26-27), de géranium (p. 32-33), de sauge sclarée (p. 28-29) ou d'eucalyptus (p. 30-31) dans un bain ou, plus efficacement, en compresse chaude appliquée sur la zone douloureuse.

PELLICULES

Huiles de romarin (p. 26-27), de bois de cèdre, d'arbre à thé (p. 24-25) ou de patchouli (p. 48-49) en massages sur le cuir chevelu, ajoutées à un shampooing non parfumé et en rinçage final lorsque vous vous lavez les cheveux.

PROBLÈMES DE RÈGLES

• Trop abondantes : huiles de géranium (p. 32-33), de camomille (p. 42-43), d'oliban (p. 44-45), de rose (p. 46-47).

• Irrégulières : huiles de sauge sclarée (p. 28-29), de camomille (p. 42-43), de lavande (p. 22-23), de menthe poivrée (p. 36-37), de rose (p. 46-47).

• Peu abondantes : huile de lavande (p. 22-23), de menthe poivrée (p. 36-37), de rose (p. 46-47).

• Douloureuses : huile de sauge sclarée (p. 28-29), de géranium (p. 32-33), de lavande (p. 22-23), de camomille (p. 42-43), de rose (p. 46-47).
À utiliser dans un bain, en massages et en compresse.

PSORIASIS

Des huiles calmantes et antidépressives telles que la lavande (p. 22-23) et la camomille (p. 42-43) peuvent permettre d'atténuer le stress qui exacerbe la maladie. À utiliser dans un bain, en massages et en crème pour la peau.

RHUME

Huiles de lavande (p. 22-23), d'eucalyptus (p. 30-31) et d'arbre à thé (p. 24-25), ou de romarin (p. 26-27) et de menthe poivrée (p. 36-37), utilisées dans un bain ou en inhalation à la vapeur.
Un bain avec de l'huile de lavande (p. 22-23) et de marjolaine permet d'atténuer les douleurs et les états fiévreux.

RHUME DES FOINS

Huile de camomille (p. 42-43) dans un bain ou en massages. Inhalation, à la vapeur ou à sec, d'huile de lavande (p. 22-23) et/ou d'eucalyptus (p. 30-31) pour les éternuements et le nez qui coule. À utiliser aussi dans un bain.

STRESS

Utilisez n'importe quelle huile sédative pour vous aider à vous détendre, par exemple la lavande (p. 22-23), la camomille (p. 42-43), la rose (p. 46-47), la sauge sclarée (p. 28-29), dans un bain ou en massages.
Pendant de courtes

périodes de stress,
essayez l'huile de
romarin (p. 26-27),
de géranium (p. 32-33)
ou de menthe poivrée
(p. 36-37).

SYNDROME PRÉMENSTRUEL ☙

Huiles de sauge sclarée (p. 28-29),
de lavande (p. 22-23) et de camomille
(p. 42-43). Utilisez l'huile de romarin
(p. 26-27) et de géranium (p. 32-33)
pour la rétention des fluides et les
ballonnements. Contre l'irritabilité et la
dépression, choisissez la rose (p. 46-47)
et la camomille (p. 42-43). À utiliser
en massages, dans un bain et en diffuseur.

TOUX ☙

Inhalation à la vapeur d'huiles d'arbre
à thé (p. 24-25), de thym, d'eucalyptus
(p. 30-31), de lavande (p. 22-23)
ou d'oliban (p. 44-45). L'huile de bois
de santal (p. 50-51) convient aux
toux sèches et est également efficace
en massage sur la poitrine et sur la
gorge.

VARICES ET VARICOSITÉS ☙

Huiles de cyprès, de citron (p. 34-35),
de romarin (p. 26-27), de lavande
(p. 22-23) ou de baie de genièvre,
ajoutées à un bain ou en compresses.
On peut les mélanger à une crème pour
la peau que l'on étale doucement sur
la zone affectée. Si vous choisissez
le massage, travaillez délicatement sous
la zone affectée, jamais dessus.
Variez le choix de vos huiles.

Bibliographie

HUARD (Danielle), *Les Huiles essentielles, L'Aromathérapie*, éd. Québecor, 1994.

Dr. VALNET (Jean), *Aromathérapie, Le livre de poche*, 1984.

BREMNESS (Lesley), *Les Plantes aromatiques et médicinales*, Bordas, 1995.

ROULIER (Guy), *Des Huiles essentielles pour votre santé*, éd. Dangles, 1990.

PADRINI F. et LUCHERONI M. T., *Le Grand Livre des huiles essentielles*, éd. De Vecchi, 1996.

WILDWOOD (Christine), *Massages aux huiles essentielles*, éd. Librairie de Médicis, 1996.

Adresses utiles

Société française de phytothérapie et d'aromathérapie,
19, boulevard Beauséjour
75016 PARIS

Association d'aromathérapie du Québec
614 est, Saint-Vallier
QUÉBEC (QUÉBEC) G1K 3R2

International Federation of Aromatherapist
Standford House
2-4 Chiswick High Road
LONDRES W4 1TH
Royaume-Uni

CREDRUP
Faculté de pharmacie
15, avenue Ch. Flahaut
34060 MONTPELLIER CEDEX
Tél. : 04 67 54 80 93
Fax : 04 67 61 16 22

Herboristerie du Palais Royal
11, rue des Petits-Champs
75001 PARIS
Tél. : 01 42 97 54 68

Les Herbes du Luxembourg
3, rue de Médicis
75006 PARIS
Tél. : 01 43 26 91 53

Tai Chi
362
8880